Uma jornada de autodescoberta

Uma jornada de autodescoberta

Guia de estudo

IAN MORGAN CRON
e SUZANNE STABILE

Traduzido por Cecília Eller

MUNDO CRISTÃO

Os textos bíblicos foram extraídos da *Nova Versão Transformadora* (NVT), da Tyndale House Foundation, salvo indicação específica.

CIP-Brasil. Catalogação na publicação
Sindicato Nacional dos Editores de Livros, RJ

C957j

Cron, Ian Morgan
Uma jornada de autodescoberta : guia de estudo / Ian Morgan Cron, Suzanne Stabile ; tradução Cecília Eller. - 1. ed. - São Paulo : Mundo Cristão, 2022.
80 p.

Tradução de: The road back to you : study guide
ISBN 978-65-5988-114-7

1. Personalidade - Aspectos religiosos - Cristianismo. 2. Tipologia - Aspectos religiosos - Cristianismo. 3. Eneagrama. I. Stabile, Suzanne. II. Eller, Cecília. III. Título.

22-77425 CDD: 248.4
CDU: 27.584

Meri Gleice Rodrigues de Souza - Bibliotecária - CRB-7/6439

Categoria: Autoajuda
1ª edição: junho de 2022

Edição
Daniel Faria

Revisão
Natália Custódio

Produção
Felipe Marques

Diagramação
Marina Timm

Colaboração
Ana Luiza Ferreira

Adaptação de capa
Ricardo Shoji

Publicado no Brasil com todos os direitos reservados por:

Editora Mundo Cristão
Rua Antônio Carlos Tacconi, 69
São Paulo, SP, Brasil
CEP 04810-020
Telefone: (11) 2127-4147
www.mundocristao.com.br

Sumário

Introdução

Conhecer-se é, acima de tudo,
saber o que lhe falta.
FLANNERY O'CONNOR

Bem-vindo! Suzanne e eu estamos muito empolgados por você estar iniciando esta jornada de autoconhecimento. Nossa experiência nos diz que não há nada semelhante ao Eneagrama. Ele descreve, por vezes com precisão assustadora, como você enxerga e habita o mundo. O Eneagrama lhe ensinará coisas sobre outras pessoas que o deixarão perplexo, à medida que você aprende a reconhecer as diferenças existentes entre vocês. Mostrará o pior e o melhor em você e o ajudará a celebrar os dons que tem. A sabedoria do Eneagrama ajuda aqueles que o conhecem a compreender as diferenças, praticar a compaixão, aprimorar os relacionamentos e encontrar maneiras de estar no mundo que agreguem sentido à vida.

> Há grande sabedoria no Eneagrama para pessoas que querem sair do próprio casulo e dar passos para se tornarem quem foram criadas para ser.

Durante as próximas cinco sessões, você aprenderá a descobrir qual é seu tipo e entender a relação dele com os outros números. Também descobrirá mais sobre sua "tríade", que se refere à localização de cada tipo do Eneagrama dentro de um dos três centros agrupados por causa de um jeito particular de vivenciar o mundo: de forma visceral (instinto), pelo coração (sentimentos) ou pela cabeça (intelecto). Quanto mais você sabe sobre seu tipo e o tipo das pessoas que você ama, mais é capaz de cultivar empatia e alcançar um equilíbrio saudável entre todos os três centros.

ORIENTAÇÕES PARA A JORNADA

Seguem algumas sugestões para ajudá-lo a extrair o máximo deste guia ao longo das próximas cinco semanas (ou do tempo que o processo levar para você — sinta a liberdade de demorar mais). Em primeiro lugar, este guia de estudo foi escrito para ser realizado individualmente ou em grupo. Você pode fazer as perguntas a si mesmo, em particular, ou aos participantes do grupo. Caso faça as sessões sozinho, certifique-se de ser corajoso e rigorosamente sincero consigo mesmo, já que não terá o benefício de ver seus pressupostos ou autoconceitos serem gentilmente questionados pelos outros. Além disso, tome o cuidado de não se apressar. Tente dedicar o mesmo tempo a cada semana, como se estivesse participando de um grupo no qual todos esperam que você fique até o fim. Isso se aplica sobretudo às semanas focadas em números diferentes do seu. E o mais

> Sempre que permanecemos ignorantes em relação à nossa visão de mundo, às mensagens e crenças que, para o bem ou para o mal, moldam quem somos, acabamos prisioneiros de nossa própria história.

importante ao longo de toda a jornada: ofereça continuamente a si mesmo o dom da amizade. Este livro e a própria vida são difíceis demais sem isso.

Se estiver usando este material com um grupo, faça o máximo para estar 100% presente. Se tudo der certo, os participantes do grupo abrirão o coração e repartirão coisas profundas da própria vida, então dedique a eles atenção plena. Vá a todos os encontros, chegue pontualmente, permaneça até o fim, desligue o celular *e tire-o de vista.* Seja curioso e mantenha a mente aberta em relação a pontos de vista diferentes. A vantagem de aprender sobre o Eneagrama em grupo é que você ouvirá em primeira mão como é enxergar o mundo pelos olhos dos outros oito números. Preciso dizer que você deve prometer confidencialidade estrita e criar um clima seguro para que os outros compartilhem histórias e experiências pessoais sem medo de ser expostos ou julgados? Bem, agora eu já disse...

Esteja você estudando sozinho ou em grupo, conserve-se aberto para mudar de ideia e até mesmo para mudar sua maneira de se relacionar com o mundo. Não quero nem saber de gente falando: "As pessoas que se acostumem com minha tendência a discussões, afinal sou Oito" ou "Como um Quatro, sempre serei excessivamente dramático". O objetivo de aprender seu tipo é diminuir a ênfase excessiva em partes de sua personalidade que o afastam de uma vida mais plena, e não constranger você a se resignar a elas. Certa vez, meu líder espiritual me disse: "*Insight* é barato". O que ele queria dizer com isso é que informação não significa transformação. Saber seu número esclarece o que deve permanecer e aquilo de que você pode muito bem abrir mão em sua vida. Saber que o trabalho é duro só o ajudará a crescer em bondade e solidariedade em relação a outros que enfrentam uma jornada semelhante.

SEMANA 1

Você sabe qual é seu número?

OBJETIVOS DESTA SESSÃO

- Identificar seu tipo, se possível
- Conhecer as três tríades
- Familiarizar-se com POIS (Pare, Observe, Investigue, Sugira)

Leitura de *Uma jornada de autodescoberta*: capítulos 1 e 2.

IDENTIFIQUE SEU TIPO

Talvez você tenha sido uma daquelas pessoas que, ao ler o capítulo sobre o tipo Dois em *Uma jornada de autodescoberta*, gemeu por dentro porque teve *certeza* de que esse era seu número. Ou, quem sabe, tenha dito algo do tipo: "Há coisas sobre o Três que parecem familiares. Sem dúvida, eu me foco demais no trabalho e em impressionar as pessoas. Mas alguns aspectos do Um também se parecem muito comigo". Ou pode ser que você ainda não faça ideia de qual seja seu tipo.

Não se preocupe: eu levei um ano inteiro para ter certeza de que era Quatro. A despeito de você saber ou não qual é seu número, sempre há mais para aprender acerca de si mesmo, então relaxe. O autoconhecimento é um processo que leva a vida inteira.

Nesta primeira sessão, buscaremos identificar ou confirmar o seu tipo. Para começar, você pode olhar as três primeiras perguntas ao fim desta sessão. (As perguntas de cada semana foram reunidas ao fim de cada sessão a fim de facilitar seu raciocínio e o diálogo.) Caso precise de ajuda para compreender os vários números, pode consultar a explicação rápida sobre cada tipo nas páginas 34 e 35 do capítulo 2 do livro *Uma jornada de autodescoberta*. Este guia de estudo também apresenta uma breve visão geral de cada número.

> Não nos conhecemos por aquilo que acertamos, mas, sim, pelo que fazemos de errado. Tente não ficar todo mal-humorado por causa disso!

Pode ser difícil falar abertamente sobre o que o deixa desconfortável acerca de si mesmo ou se abrir e dizer o que não gosta em você. Lembre-se de que você está em um lugar seguro e faça o máximo para reforçar esse sentimento para os outros, não julgando nem tentando "consertá-los". E, por favor, não sinta que é seu papel dizer às pessoas qual é o número que você acha que corresponde a elas, caso ainda não tenham certeza. Você pode acabar falando o tipo incorreto e as confundindo — ou, pior ainda, acertará e as privará da alegria de descobrir por conta própria.

Ninguém gosta de um "sabichão do Eneagrama". Depois não diga que não avisei!

CONHEÇA AS TRÊS TRÍADES

Uma das maneiras de ajudar a identificar seu número é compreender as três tríades, ou os três centros, que formam o Eneagrama. Digamos que, como no exemplo acima, você está se perguntando se é Três ou Um. Seu *comportamento* pode, às vezes, ser típico desses dois números. Nesse caso, você precisará avaliar suas *motivações* para determinar com precisão seu tipo.

As tríades são úteis para nos levar a entender melhor por que fazemos as coisas da maneira que fazemos. Em geral, você vivencia e processa a vida no nível dos instintos, dos sentimentos ou dos pensamentos? Sua tríade revela para qual dos três centros (sentir, pensar, fazer) você se volta primeiro ao deparar com novas informações ou situações. O fato de você favorecer um dos três não significa que nunca usa os outros dois. Só por pertencer à tríade do coração ou dos sentimentos não quer dizer que você jamais pensa ou age. Apenas revela que cada um de nós habitualmente prefere um dos três centros (sentimentos, pensamentos ou ações) para assimilar uma informação.

Na tabela abaixo, é possível ver de relance quais tipos se alinham com cada uma das tríades. Ao analisar isto, reflita ou debata sobre as seguintes perguntas:

1. Quando eu deparo com uma nova situação ou um problema inédito, sou propenso a *fazer* algo, qualquer coisa, mesmo antes de ter acesso a todos os fatos relevantes? (visceral)
2. Quando estou ansioso ou estressado, as pessoas tendem a me dizer que estou exagerando em minha reação emocional? (coração)
3. Quando estou ansioso ou estressado, as pessoas tendem a me dizer que estou me fechando ou sem reação emocional? (cabeça)

Refletir com cuidado sobre sua configuração padrão predominante de reação às situações pode ajudá-lo a identificar sua tríade. Isso, por sua vez, o ajuda a diminuir a gama de opções de tipos que se aplicam a você. Ao avançar pelas sessões a seguir, preste bastante atenção às características de cada tríade e às descrições de cada número. Não tenha medo de perguntar às pessoas que o conhecem bem como elas descreveriam sua personalidade.

TRÍADE VISCERAL	TRÍADE DO CORAÇÃO	TRÍADE DA CABEÇA
Ao deparar com a vida, sua primeira reação é *fazer algo*. • Tende a agir antes de pensar. • A raiva está sempre à espreita por trás da superfície.	Ao deparar com a vida, sua primeira reação é *sentir algo*. • Tende a ser emotivo demais. • A vergonha está sempre à espreita por trás da superfície.	Ao deparar com a vida, sua primeira reação é *pensar e planejar*. • Tende a pensar excessivamente nas coisas. • O medo está sempre à espreita por trás da superfície.
8: O Contestador	2: O Auxiliador	5: O Investigador
9: O Pacificador	3: O Realizador	6: O Leal
1: O Perfeccionista	4: O Romântico	7: O Entusiasta

APRESENTANDO O POIS

O objetivo de entender nosso número é desenvolver o autoconhecimento e aprender a reconhecer e diminuir a ênfase nos comportamentos por reflexo, causadores de derrotas pessoais em nossa personalidade. Quando fazemos isso, conseguimos viver de maneira mais autêntica e nos relacionar com os outros de modo mais sábio e amoroso.

Então como colocar em prática o que aprendemos com o Eneagrama? Nas próximas sessões, você aprenderá uma prática de oração contemplativa em quatro movimentos que criei a princípio para me ajudar a trabalhar com meu tipo pessoal. Com base no acrônimo POIS (via de regra, eu detesto acrônimos também, mas fique firme comigo...), essa prática tem me ajudado a despertar e perceber quando recaio em padrões prejudiciais de pensamento, sentimento e ação associados a meu número. Ajuda-me a crescer em consciência da presença de Deus em minha vida aqui e agora.

Veja como o POIS funciona:

Pare. A cada quatro horas, meu celular me manda uma notificação, me lembrando de que chegou o momento de parar por dois a três minutos, a fim de dedicar minha atenção plena a Deus e ao que está acontecendo em minha vida naquele exato momento. Parece fácil, certo? Nada disso! Tudo em nosso mundo frenético e voltado para metas milita contra pausas de até mesmo alguns minutos a fim de desligar o piloto automático e conscientemente voltar para casa, para nós mesmos e para Deus.

Mas é possível fazer isso.

A fim de parar, faça de quatro a cinco respirações profundas em atitude de oração para se firmar em seu corpo e voltar ao momento presente. Se o tempo e as circunstâncias permitirem, feche os olhos e sinta o corpo do topo da cabeça até a ponta dos dedos dos pés. Por meio da respiração, alivie qualquer tensão que encontrar pelo caminho. O propósito desse passo é simplesmente despertar e trazer a consciência de volta para sua experiência imediata.

Cada passo do processo POIS será mais difícil para alguns tipos do que para outros. Aliás, até mesmo o ato de descobrir o que é mais desafiador para você pode ajudá-lo a identificar seu número. Por exemplo, pessoas tipo Oito gostam de se mover a todo vapor e assumir o controle das coisas. Não apreciam parar e refletir. Já o Nove, em contrapartida, pode achar fácil demais parar, mas ser vítima de distrações ou até pegar no sono para evitar lidar com a realidade. No entanto, uma vez que essa é apenas mais uma forma de piloto automático e evitamento para o Nove, esse é o tipo de "parada" que eles podem aprender a não fazer. Queremos o tipo de parada que leva a uma atenção maior ao que de fato está acontecendo no momento. Se praticarmos com regularidade, aprenderemos a distinguir entre as duas.

Observe. Com frequência, acabamos levados pela correnteza de nossas atividades cotidianas e comportamentos diários reativos, mas raramente damos um passo para trás a fim de observá-los e aprender com eles. Depois de fazer uma parada completa, vamos olhar em volta para ver o que ficou de fora enquanto nos perdemos em pensamentos repetitivos ou fomos absorvidos pelo trabalho. O que está acontecendo? O ambiente ao nosso redor está calmo ou caótico? Como nos relacionamos com o que está acontecendo? Como as outras pessoas estão reagindo a nós? Estamos pessoalmente em uma posição tranquila, ou presos em padrões de comportamento reativos de nosso número?

> Não enfrentar a realidade da própria escuridão e suas origens é uma péssima ideia!

Por exemplo, o Oito que pratica o POIS pode perceber que está se sentindo frustrado por dentro e se preparando para tirar as rédeas da liderança das mãos de um colega de trabalho que, em sua opinião, está arruinando um projeto importante. Um pouco de consciência pode ser útil antes de agir sem pensar, não é mesmo? Ou alguém tipo Seis pode notar que desperdiçou as últimas duas horas ensaiando mentalmente o que dirá para a chefe na situação muito improvável de acabar demitida durante a avaliação anual de funcionários, que está se aproximando. Preocupar-se com a hipótese de ser substituído por um robô provavelmente não é o melhor uso do tempo.

A despeito do que você descobrir, faça questão de notar ou observar o que está sentindo, pensando e fazendo no momento *com gentileza*! Nada de rotular, analisar, criticar ou tentar consertar as coisas. Simplesmente *observe*, nada mais do que isso.

Investigue. Agora que você está espiritualmente acordado e presente naquilo que está acontecendo no momento, pode se fazer algumas perguntas que o ajudarão a voltar aos trilhos, caso necessário. Em capítulos posteriores, sugerirei perguntas específicas para cada número, mas encontrei alguns questionamentos excelentes na obra de Byron Katie que adaptei e expandi para a prática do POIS.

1. Em que estou acreditando agora?
2. Como isso faz com que eu me sinta?
3. É verdade?
4. Quem eu seria se abrisse mão dessa crença?

Imagine que você é tipo Um (o Perfeccionista), preocupado com a própria imagem, e está atrasado para buscar as crianças na escola. Como consegue se dar conta de que está um caos por dentro, decide que, enquanto dirige, fará o processo do POIS (menos a parte do "feche os olhos"). Quando chegar ao passo Investigue e se perguntar "Em que estou acreditando agora?", pode refletir e responder: "Neste momento, acredito que sou a pior mãe do mundo e a mais irresponsável".

Uau, que intenso!

Agora pergunte-se: "Como isso faz com que eu me sinta?".

Se você é uma pessoa tipo Um em processo de crescimento, imagino que dirá algo do tipo: "Essa situação traz à tona velhos sentimentos de recriminação pessoal e vergonha que tenho toda vez que erro". Opa, isso precisa parar!

Tudo bem, agora pergunte a si mesma: "É verdade? Eu sou de fato a pior mãe do mundo e a mais irresponsável de todas?". Antes de sair gritando: "Sim, eu sou absolutamente horrível!", pare e pense um pouco. É verdade mesmo? Você pode até *sentir* que sim, mas não significa que é verdade. De todo modo, não se ache: há gente muito pior do que você por aí...

Agora chegou a hora de se indagar: "Como minha vida mudaria se eu abrisse mão dessa crença?".

Minha esperança é que você consiga dizer: "Eu seria uma pessoa mais feliz, tranquila e relaxada. Poderia até me amar quase tanto quanto amo as crianças que estou atrasada para buscar na escola agora mesmo".

Ah, bem melhor assim!

Sugira. No processo de passar pelas etapas *Pare, Observe* e *Investigue,* você exerceu auto-observação e aprofundou seu autoconhecimento. Munido disso, está livre para tomar decisões diferentes, mais saudáveis e espiritualmente úteis, alinhadas com seu eu verdadeiro, em lugar de apenas ceder ao padrão involuntário de escolhas por reflexo que você fez no passado, quando estava semiadormecido ou no piloto automático.

Na etapa Sugira, você pode escolher conscientemente deixar de fora o roteiro costumeiro que seguimos. No exemplo acima, a mulher tipo Um pode gentilmente lembrar seu crítico interior de que, em vez de fechar a cara e ficar irritadiça quando as crianças entrarem no carro, escolherá se perdoar por perder a hora e dará uma parada na sorveteria antes de chegar em casa, para aproveitar junto com os filhos. Pode até convidar o crítico interior para tomar um sorvetinho também, caso ele prometa se comportar.

O POIS nos ajuda a despertar. Interrompe o circuito de pensamentos, sentimentos e ações limitantes e prejudiciais associados a nosso número, permitindo que façamos escolhas diferentes. Sua vida vai mudar de uma hora para a outra? Não! Com o tempo, porém, alterará o ponteiro de sua autoconsciência.

ALGUMAS DICAS PARA A PRÁTICA DO POIS

- No começo, você pode colocar um lembrete no celular ou computador, para não se esquecer de praticar o POIS de quatro a cinco vezes ao dia, até que se torne uma disciplina regular.
- O POIS pode ser feito a qualquer momento e em qualquer lugar. Você pode dedicar um minuto ou um retiro de um mês inteiro — de todo modo, você será beneficiado.
- É melhor praticar o POIS sem fazer nada ao mesmo tempo, mas já realizei esse processo enquanto lavava louça, dirigia, rastelava o jardim e assim por diante.
- Enquanto desenvolve os músculos da atenção, procure práticas espirituais que possam ajudá-lo a se tornar mais consciente e capaz, a qualquer momento, de identificar o que está acontecendo e fazer escolhas mais saudáveis. A oração centrante é uma disciplina espiritual perfeita que pode ensiná-lo a se observar sem julgar.
- A prática do POIS em um momento de conflito ou crise pode mudar radicalmente o rumo do que vai acontecer. Já passei por isso em mais de uma reunião de família no Natal e Ano Novo, quando as coisas estavam prestes a degringolar, e fez toda a diferença.

PERGUNTAS PARA REFLEXÃO OU DISCUSSÃO

1. Qual dos nove tipos *mais* se assemelha a você e por quê?

2. Há algo nesse tipo que o deixa especialmente desconfortável ou envergonhado?

3. Há algo nesse tipo que o encanta?

4. Cada tríade luta contra alguma emoção especialmente difícil: a tríade visceral luta contra a raiva, a tríade do coração luta contra a vergonha e a tríade da cabeça luta contra o medo. Você consegue se lembrar de algum período da vida em que estava lidando com a emoção associada a sua tríade? Como foi?

5. Qual das quatro etapas do POIS você acha que será mais desafiadora para você? É mais difícil para você *parar* o que está fazendo, *observar* seus padrões de comportamento, *investigar* a si mesmo com perguntas pertinentes ou *sugerir* e mudar de conduta?

6. Qual é o comportamento padrão ao qual você recorre quando está se sentindo ansioso ou estressado? Em que aspectos esse comportamento é saudável ou prejudicial?

7. Reflita nesta frase do livro: "Não nos conhecemos por aquilo que acertamos, mas, sim, pelo que fazemos de errado". Você se lembra de uma ocasião em que um lado sombrio seu lhe ensinou algo importante a seu respeito?

8. Você já tentou praticar a oração centrante ou alguma outra forma de meditação? Em caso afirmativo, como se sentiu? (Caso se interesse pela oração centrante e queira saber mais, sugiro a leitura de *Mente aberta, coração aberto*, do frei Thomas Keating, ou *Into the Silent Land*, de Martin Laird).

Leitura para a próxima semana: capítulos 3, 4 e 5 de *Uma jornada de autodescoberta.*

SEMANA 2

A TRÍADE VISCERAL (8, 9 E 1)

OBJETIVOS DESTA SESSÃO

- Entender o tipo 8 (o Contestador)
- Entender o tipo 9 (o Pacificador)
- Entender o tipo 1 (o Perfeccionista)

Leitura de *Uma jornada de autodescoberta*: capítulos 3, 4 e 5.

Bem-vindo de volta! Nesta sessão, conheceremos os números que compõem a tríade visceral: Oito, Nove e Um. Analisaremos o pecado capital de cada número e abordaremos suas "virtudes contrárias". Conforme mencionei na introdução, o benefício colateral de aprender o pecado capital de cada número é que pode ajudar a identificar o próprio tipo. Qualquer dúvida que eu ainda tinha sobre ser Quatro imediatamente se dissipou no instante em que descobri que o pecado capital desse tipo é a inveja.

Se você já conhece seu número e seu pecado capital, então aprender sobre sua virtude contrária pode lhe dar *insights* em relação ao trabalho que tem pela frente.

Em seguida, mergulharemos fundo a fim de enxergar o mundo por meio das lentes do Oito, do Nove e do Um. É um ótimo momento para os participantes do grupo que se identificam com algum desses números compartilharem como eles veem e vivenciam o mundo.

Lembre-se de que só devemos usar aquilo que sabemos sobre o número dos outros para encorajá-los e libertá-los, jamais para menosprezar ou zombar. Revirar os olhos e dizer coisas do tipo: "Você é um Seis típico!" é terminantemente proibido.

OS PECADOS E AS VIRTUDES DA TRÍADE VISCERAL

Tipo	8	9	1
Pecado capital a evitar	*Luxúria*. O Oito é intenso e excessivo. Quer estar no controle e projeta força a fim de mascarar sentimentos de fraqueza ou vulnerabilidade.	*Preguiça*. O Nove é espiritualmente preguiçoso, tende a se misturar às prioridades, aos valores e às preferências de outros a fim de evitar conflitos e manter a paz interior.	*Ira*. O Um busca compulsivamente aperfeiçoar o mundo e sente ressentimento crônico por aqueles que não atingem seu padrão elevado, em especial ele próprio.
Virtude oposta a cultivar	*Castidade*. O Oito pode moderar sua intensidade, a tendência de se exceder e a necessidade de controle, além de reconhecer o valor da vulnerabilidade.	*Diligência*. O Nove pode se tornar assertivo e realizador por meio da execução consciente do próprio projeto de vida, mesmo que gere conflitos e medo de desconexão.	*Paciência*. O Um pode aprender a aceitar que há mais de uma maneira de fazer as coisas e ter mais paciência com o mundo — e consigo mesmo — por ser imperfeito.

TIPO OITO

Ouça o que pessoas tipo Oito têm a dizer

Do que gosto em ser Oito:

A melhor coisa sobre ser Oito é a confiança inata que possuímos. Nós sabemos fazer as coisas acontecer e realizar o que precisa ser feito. Simplesmente temos a certeza de que conseguimos — seja abrir um novo negócio, concorrer a um cargo, liderar um grupo para bater uma meta ou preparar um bolo. Pode deixar conosco! (Heather H.)

Do que não gosto em ser Oito:

O Oito pode ser completamente cego em relação a sentimentos não ditos, medos e tendências de outras pessoas. Assim, muitas vezes eu sigo em frente toda animada a fim de cumprir as metas e os objetivos predefinidos de um grupo, só para descobrir que sou a vilã (e a única) por não ter ficado lá atrás, junto com a galera que ainda não estava realmente pronta para fazer algo. O Oito pode ser considerado insensível e julgado como mandão ou desafiador. (Christine M.)

O que eu gostaria que as pessoas entendessem sobre ser Oito:

Não leve para o lado pessoal minha maneira de estar no mundo. Minha postura agressiva não diz respeito a você e não precisa ter medo ou preocupação de que esse seja o caso. (Jeff)

PERGUNTAS PARA AJUDÁ-LO A DESCOBRIR SE VOCÊ É TIPO OITO

1. Você se sente confortável em assumir a liderança de um grupo?

2. Você é conhecido por sua habilidade e disposição de se posicionar?
3. Você se irrita quando outras pessoas dão indiretas, são manipuladoras ou não parecem conseguir articular o que realmente desejam ou querem dizer?
4. Você tem dificuldade de baixar a guardar ou permitir que os outros o vejam em um momento de fraqueza?
5. Os outros às vezes se sentem intimidados por sua tendência em abordar abertamente os conflitos e por sua natureza agressiva?
6. Você tende a valorizar ser respeitado mais do que ser querido?
7. Você tem dificuldade de confiar nas pessoas?

IDEIAS DE POIS PARA O OITO

Pare. Pare. *Literalmente* pare. Se possível, deixe de lado o que estiver fazendo e, ao longo dos próximos minutos, cesse todos os movimentos. Respire. Encontre seu centro e firme-se no presente. Uau, isso é difícil para o Oito!

A maioria das pessoas tipo Oito não recebe de bom grado, nem aprecia momentos de autorreflexão. Sentimentos ternos e mais brandos podem surgir quando se reduz o ritmo. E é mais fácil atingir um alvo parado do que um em movimento.

> O que parece intimidação para outros, soa como intimidade para o Oito.

Observe. Olhe ao redor. O que está acontecendo? Seu corpo está tenso ou relaxado? Você está falando em tom normal ou mais alto? As pessoas parecem relaxadas à sua volta ou é como se estivessem pisando em ovos?

Se estiver ao ar livre, seu ritmo de andar está relaxado, ou você está marchando adiante com o peito estufado a sua frente? Quantas demandas você tem sobre seu corpo agora? Você está cansado demais, trabalhando em excesso? Está sendo autocondescendente ou se excedendo demais de alguma forma?

Agora observe seus sentimentos. Se notar que está bravo ou "sobrecarregado", veja se consegue identificar os sentimentos mais brandos em algum lugar lá no fundo. Caso sentimentos brandos se revelem, não os julgue como sinais de fraqueza.

Consegue notar se está pressionando por algo ou pressionando alguém? Quem ou o que é?

Investigue. À medida que aprende mais sobre seu número e seu jeito único de incorporá-lo, encontrará perguntas que se aplicam de maneira específica a você. As quatro questões a seguir sempre serão úteis:

1. Em que eu acredito agora mesmo? Que o mundo é um lugar injusto e sem coração e eu preciso estar pronto para a batalha o tempo inteiro? Que necessito ser forte e estar no controle, caso contrário eu ou alguém com quem me importo irá se machucar? Que abrir o coração aos outros sempre acarreta traição e prejuízo emocional?
2. Como essa crença faz com que eu me sinta? A postos? Cheio de suspeitas? Na defensiva? Como se precisasse manter uma fachada de força para afastar possíveis agressões?
3. É verdade? Ninguém é digno de confiança e todos se aproveitam dos fracos? Eu sempre preciso ser forte e estar no comando? Isso por acaso é possível? É verdade *mesmo*?

4. O que aconteceria se eu abrisse mão dessa crença? As pessoas começariam a reagir a mim com amor, não só com respeito? Eu conseguiria relaxar e abrir mão da necessidade de estar no comando?

Sugira. Para o Oito, a sugestão de uma rota diferente pode significar:

- Pensar e sentir antes de agir.
- Abrir o coração com alguém.
- Deixar as coisas acontecerem, em vez de fazê-las acontecer.
- Permitir que outros liderem você.
- Andar mais devagar e sorrir mais.

Pratique a castidade, a virtude contrária à luxúria, exercendo a moderação e canalizando sua energia para fins positivos.

TIPO NOVE

Ouça o que pessoas tipo Nove têm a dizer

Do que gosto em ser Nove:

O melhor é que estou disponível para as pessoas quando estamos juntos. E, da perspectiva de uma filha de um Oito, elas conseguem fazer o que querem! (Debbie T.)

Do que não gosto em ser Nove:

É muito difícil para o Nove entender a mensagem de que somos importantes. Todos os elogios que já recebi na vida foram instantaneamente desconsiderados e minimizados por seis maneiras diferentes de explicar por que não eram verdadeiros ou eram condescendentes demais. O Nove só consegue entender a mensagem de que é importante por meio de ações que não podem ser negadas. (Wade M.)

Um comportamento típico do Nove:

É difícil me basear em minha própria confiança e em meu poder. Posso me juntar ao poder dos outros e dar apoio, mas assumir a liderança é difícil. Sobra ansiedade e desconfiança. (Charlie L.)

O que eu gostaria que as pessoas entendessem sobre ser Nove:

Que nos comportamos como um pato: calmos na superfície, mas nos debatendo como loucos por baixo. (Debbie T.)

PERGUNTAS PARA AJUDÁ-LO A DESCOBRIR SE VOCÊ É TIPO NOVE

1. Em geral, você consegue enxergar diversos pontos de vista, dificultando saber e escolher a própria posição?
2. Você se distrai com facilidade, assombrado com a perspectiva de se focar unicamente na tarefa a sua frente?
3. Você costuma escolher a saída mais fácil para um problema, sobretudo se evitar conflitos ou uma discussão em potencial?
4. Você lança mão de estratégias passivo-agressivas quando as pessoas são exigentes demais (como "esquecer" compromissos que fez, mas não queria de verdade, ou dormir para evitar a realidade)?
5. Você acha que as opiniões dos outros têm mais peso que as suas?
6. Os outros o acham de bem com a vida e livre de preocupações, mesmo que isso não corresponda ao que você sente por dentro?

7. Você tem dificuldade de estabelecer prioridades e realizar as coisas que precisa fazer ao longo do dia?

IDEIAS DE POIS PARA O NOVE

Pare. Para o Nove, parar é moleza! Você é uma pessoa centrada no corpo, então sabe como se concentrar na respiração e se conectar consigo mesmo quando incentivado, ou tem o hábito de fazê-lo. Para o Nove, o mais difícil é parar e *permanecer focado e alerta.*

Observe. O que está acontecendo a seu redor? Neste momento, qual é seu nível de engajamento com a vida? Está sintonizado com o que está acontecendo, ou desligado? Está presente e alerta, ou desaparecido em combate? Está deixando a vida *chegar até você*?

Observe se há conflito em andamento ou em potencial e como você está reagindo. Você está evitando o confronto? Em caso afirmativo, como?

A fim de evitar conflitos, você está se deixando absorver pelos outros? Está ignorando as próprias preferências, opiniões, vontades, desejos e objetivos para não ter atritos?

> O Nove sabe descansar no amor de Deus e compartilhar de si com maior generosidade que o restante de nós.

Está concentrado na tarefa, focado no que necessita ser feito, ou perdeu de vista o quadro mais amplo e a capacidade de priorizar?

Está entorpecendo a raiva ou o ressentimento ao se desconectar, alimentar comportamentos viciantes ou se perder em hábitos e rotinas que não exigem pensar?

Observe se você está, de algum modo, expressando raiva ou desagrado por meio da teimosia, de atitudes de evitamento ou outros comportamentos passivo-agressivos.

Investigue.

1. Em que estou acreditando agora mesmo? Que não tenho importância? Que preciso sacrificar os próprios desejos a fim de manter a conexão com os outros? Que não consigo lidar com conflitos? Que algo terrível vai acontecer se eu entrar em contato com minha raiva ou expressá-la?
2. Como essa crença faz com que eu me sinta? Ressentido? Frustrado? Entorpecido? Exausto?
3. É verdade aquilo em que acredito agora? Minha presença realmente não importa? Eu não conseguiria sobreviver a um conflito? Meus sonhos e prioridades de fato não têm importância? Isso é verdade *mesmo*?
4. E se eu abrir mão dessa crença? Eu encontraria minha voz e me apropriaria dela? Cresceria em respeito e consideração por mim mesmo?

Sugira.

- Expresse sua raiva de forma direta.
- Diga aos outros o que você quer.
- Acorde e envolva-se no que vem em seguida.
- Reconheça seu valor e afirme-se.
- Fale e deixe os outros ouvirem.
- Faça uma lista e cumpra cada item.

A virtude contrária à preguiça é a diligência. Determine suas prioridades e comprometa-se com um plano de ação para colocá-las em prática.

TIPO UM

Ouça o que pessoas tipo Um têm a dizer

Do que gosto em ser Um:

Sou confiável e pontual. Tenho uma ética forte e padrões elevados. Sou muito boa com detalhes. (Julianne H.)

Do que não gosto em ser Um:

Que eu vejo o que está errado ou precisa ser consertado assim que entro em um ambiente ou me insiro em uma situação.

Não só noto, como também sinto um forte ímpeto de *citar* tudo que precisa ser consertado primeiro, antes de me permitir seguir adiante em relação ao que é bom, abençoado e belo. Dá para imaginar? Quem quer estar rodeado por alguém sempre rápido em apontar o que está errado? E como sou uma pessoa naturalmente otimista, que ama se divertir, detesto como me sinto *a meu respeito* quando cedo a esse impulso. (Mary L.)

Um comportamento típico do Um:

Quando peço a meus filhos que arrumem o quarto, entro e mostro o que esqueceram de fazer. É muito frustrante para eles. Meu coração não tem a intenção de criticar, mas, sim, de ensinar e aperfeiçoar. Sempre tento fazer as coisas da melhor maneira. (Julianne C.)

O que eu gostaria que as pessoas entendessem sobre ser Um:

Eu gostaria que as pessoas soubessem que encaro qualquer crítica, até mesmo as construtivas, como uma confirmação de que a "voz" está certa e eu não sou boa o suficiente. Também gostaria que soubessem que não tenho a intenção de magoar as pessoas quando sugiro maneiras de se aperfeiçoarem. (Julianne H.)

PERGUNTAS PARA AJUDÁ-LO A DESCOBRIR SE VOCÊ É TIPO UM

1. Você se incomoda quando outros tentam burlar as regras a próprio favor ou quando elas não parecem se aplicar a todos da mesma maneira?
2. Você quase sempre se dedica 100% a uma tarefa e espera que os outros façam o mesmo? (E, caso não façam, você provavelmente revisará após terminarem e acabará refazendo todo o trabalho alheio só para ficar tudo perfeito?)
3. Você se preocupa em consertar o que não está funcionando no mundo e sente a responsabilidade pessoal de mudar as coisas?
4. Você tende a julgar? E seu crítico interior ataca com intensidade ainda maior seus esforços pessoais?
5. Você é mais propenso que os outros a notar erros ou coisas fora do lugar?
6. Você é uma pessoa autodisciplinada e detalhista?
7. Você tem dificuldade de perdoar os outros e deixar para trás erros do passado?

IDEIAS DE POIS PARA O UM

Pare. Como alguém sempre em ação, parar mesmo que por alguns minutos será difícil para você. Talvez você se ressinta com a interrupção quando o lembrete de praticar o POIS aparecer no celular, mas respire fundo e pare.

Ao percorrer cada passo do POIS, não se esqueça de estender compaixão a si mesmo.

Resista à tentação de procrastinar o início dessa prática por ficar com medo de cometer erros. Uma regra da oração contemplativa é que todos que comparecem tiram dez. Não se julgue com rigidez, não se preocupe se está fazendo tudo certo, nem se inquiete pensando se está seguindo as instruções da maneira apropriada.

Observe. Ao notar o que está acontecendo externa e internamente, sua atenção se atrairá de forma natural para o que não está certo ou apropriado. Caso aconteça, simplesmente observe sem julgar que isso também faz parte de sua experiência. Por ser Um, tome o cuidado de observar não só o que está errado, mas também duas ou três coisas que estão certas.

> Se você quer um funcionário eficiente, ético, meticuloso, confiável e que trabalhe por dois, é só contratar alguém tipo Um!

Investigue. À medida que você aprende mais sobre sua personalidade e sua maneira única de incorporá-la, eu o incentivo a encontrar as próprias perguntas, mais apropriadas para suas necessidades específicas. Aqui estão alguns exemplos de sugestões mais detalhadas para as quatro perguntas que propus, a fim de serem usadas a qualquer momento.

1. Em que você está acreditando agora mesmo? Que é obrigado a corrigir os erros nos outros e no ambiente? Que é inaceitável errar? Que seu crítico interno fala com autoridade divina?
2. Como essa crença faz com que você se sinta? (Resista à tentação de rejeitar a aceitação de sentimentos que você considera "inapropriados".) Você está se sentindo bravo ou ressentido agora? Preocupado de ser culpado ou criticado por cometer um erro? Como se estivesse travando uma batalha já perdida contra a realidade?

3. É verdade? Você é, de fato, responsável por tornar o mundo um lugar perfeito? As coisas sempre são certas ou erradas, boas ou más, pretas ou brancas? O seu jeito é o único certo de fazer as coisas? Isso é verdade *mesmo*?
4. Como sua vida seria diferente se você abrisse mão dessa crença? Como seria poder se apropriar do espaço que vai além do "ou isto, ou aquilo", para incluir "não só, como também"? Seu crítico falaria mais baixo e com menos severidade? Você tiraria os sapatos e se permitiria se divertir mais?

Sugira.

- Decore os primeiros versos da Oração da Serenidade e recite-a em voz alta. Não haveria nada mais apropriado para você! "Senhor, dá-me serenidade para aceitar aquilo que não posso mudar, coragem para mudar o que posso e sabedoria para discernir a diferença entre ambos."
- Aceite os erros como um fato natural na vida de todos.
- Lembre-se de que todo ser humano é inerentemente valioso.
- Faça algo divertido. Caso seu crítico interior diga que a frivolidade está fora de questão porque há coisas demais a se fazer, diga que ele pode ficar em casa ou acompanhá-lo, mas você irá de qualquer jeito!
- Lembre seu crítico interior do quanto você apreciava seu papel em ajudá-lo quando criança, mas agora convide-o a mudar de função, deixando de ser gerente administrativo das tarefas para se tornar um guia encorajador.
- Intencionalmente cometa um erro ou faça algo de maneira imperfeita ou incompleta. Vá dormir com a louça na pia. Corra 4,8 quilômetros, em vez de cinco certinho. Sim, é isso mesmo que estou dizendo!

Encontre formas de praticar a virtude da paciência, que é o oposto do seu pecado capital da ira.

PERGUNTAS PARA REFLEXÃO E DISCUSSÃO

Se você estiver participando de um grupo de discussão sobre o Eneagrama, é importante separar tempo para ouvir de verdade o que os participantes dos outros números têm a dizer acerca de si mesmos. Tente enxergar o mundo pelos olhos deles, se possível. Permita que falem sem ser interrompidos. Caso esteja fazendo este guia de estudo por conta própria, separe tempo para refletir e responder a cada pergunta por escrito. Reflita sobre como é ser cada número. O Eneagrama é uma grande ferramenta para desenvolver empatia e compaixão.

1. Nesta sessão, estamos analisando a tríade visceral: o Contestador, o Pacificador e o Perfeccionista. Se você é um desses três números, a ideia de reagir à vida "de maneira visceral", por instinto, faz sentido para você? Por que ou por que não?

2. Os pecados capitais associados a esses números (luxúria para o Oito, preguiça para o Nove e ira para o Um) parecem verdadeiros para você? Em caso afirmativo, como? Se não,

por quê? Quais são as práticas espirituais que podem cultivar a virtude oposta para cada pecado capital?

3. Para quem é Oito, Nove e Um: do que você mais gosta em seu número?

4. Para quem é Oito, Nove e Um: do que você menos gosta em seu número?

5. Para quem é Oito, Nove e Um: o que você gostaria que as pessoas entendessem sobre seu número?

6. Para pessoas dos outros seis números: o que você mais aprecia ou inveja nos tipos Oito, Nove e Um?

7. Para pessoas dos outros seis números: o que o deixa louco nos tipos Oito, Nove e Um?

Leitura para a próxima semana: capítulos 6, 7 e 8 de *Uma jornada de autodescoberta.*

SEMANA 3

A TRÍADE DO CORAÇÃO (2, 3 E 4)

OBJETIVOS DESTA SESSÃO

- Entender o tipo 2 (o Auxiliador)
- Entender o tipo 3 (o Realizador)
- Entender o tipo 4 (o Romântico)

Leitura de *Uma jornada de autodescoberta*: capítulos 6, 7 e 8.

OS PECADOS E AS VIRTUDES DA TRÍADE VISCERAL

Tipo	2	3	4
Pecado capital a evitar	*Orgulho*. O Dois acredita em segredo que os outros têm mais necessidades do que ele e estariam perdidos sem sua ajuda.	*Engano*. A fim de satisfazer os anseios por admiração, o Três projeta imagens para agradar a multidão que enganam até ele mesmo.	*Inveja*. O Quatro acredita que lhe falta um elemento essencial e nunca terá a plenitude que os outros desfrutam. Inveja a normalidade e a felicidade dos outros.

Virtude oposta a cultivar	*Humildade.* O Dois pode desenvolver a humildade ao reconhecer as próprias necessidades e pedir diretamente ajuda e apoio aos outros.	*Integridade.* Ao descobrir e compartilhar o próprio eu com os outros, o Três aprende que é amado por ser quem é e não por aquilo que ele faz.	*Gratidão.* O Quatro combate a inveja quando se demora não naquilo que falta, mas no que está presente em sua vida, na forma de dons e bênçãos.

TIPO DOIS

Ouça o que pessoas tipo Dois têm a dizer

Do que gosto em ser Dois:

Eu quase sempre sei como reagir e me comportar em situações sociais complicadas (por exemplo, estar junto quando alguém recebe a notícia de um diagnóstico médico desolador). (Hunter M.)

Do que não gosto em ser Dois:

Quero desesperadamente receber elogios e *feedback* positivo, mas, quando isso acontece, não consigo desfrutar, pois parece que fico exposto demais sempre que toda a atenção se volta para minhas necessidades e ações. (Hunter M.)

O que eu gostaria que as pessoas entendessem sobre ser Dois:

Ser Dois como esposa e mãe pode ser confuso. A sociedade nos recompensa por cuidar dos outros e colocar nossos queridos à frente de nós mesmas. Como cuidadoras, isso já é esperado e se trata de algo que a maioria das mulheres faz naturalmente. Acho muito tênue a linha divisora entre o que se espera de mim e quem eu sou como Dois. (Lisa H.)

PERGUNTAS PARA AJUDÁ-LO A DESCOBRIR SE VOCÊ É TIPO DOIS

1. Você gosta de agradar as pessoas e está sempre pronto a deixar de lado as próprias preocupações a fim de ajudar os outros?
2. Você acha doloroso ou constrangedor pedir ajuda aos outros?
3. Você tem uma sintonia especial com os sentimentos dos outros?
4. Você é conhecido como um excelente ouvinte, a primeira pessoa a quem seus amigos recorrem quando precisam de um ombro amigo para chorar?
5. Você valoriza fazer de seu lar um lugar confortável, onde as pessoas encontram refúgio?
6. É frustrante para você quando precisa falar do que precisa para as pessoas que você ama, sem que elas simplesmente intuam suas necessidades?
7. Em geral, você é o primeiro a pedir desculpas e a perdoar?

IDEIAS DE POIS PARA O DOIS

Pare. Para o Dois, é difícil parar, sobretudo se for preciso se desconectar dos relacionamentos para isso. É um desafio focar no próprio interior quando o foco é sempre tão externo. Não parece natural parar e cuidar de si mesmo.

> O Dois consegue entrar em uma festa e pressentir qual casal brigou no caminho, quem preferiria estar em casa assistindo a um jogo e quem está ansioso, com medo de perder o emprego.

Observe. Ao olhar em volta, perceba se você sente a tentação de se aproximar de outra pessoa. Pergunte-se: "Estou sentindo que não sou apreciado e me encontro ressentido agora? Sinto que meu valor não é reconhecido? Estou fingindo que amo alguém agora? Há algum lugar de meu corpo onde a tensão parece estar se acumulando?".

Investigue. À medida que você aprende cada vez mais sobre sua personalidade e sua maneira única de incorporá-la, eu o incentivo a elaborar as próprias perguntas, mais adequadas a suas necessidades específicas.

1. Em que estou acreditando agora mesmo? Que preciso suprir as necessidades dos outros para ser amado? Que as necessidades alheias são mais importantes do que as minhas? Que sou indispensável? Que tenho um estoque infinito de recursos para atender as necessidades das outras pessoas?
2. Como o apego a essa crença faz com que eu me sinta? Orgulhoso? Necessário? Ressentido? Triste? Incapaz de expressar as próprias necessidades e vontades? (Não se surpreenda caso não saiba ao certo como isso faz você se sentir. Por ser tipo Dois, você dedica tempo demais focando o que é externo, os sentimentos dos outros. Só agora você está começando a se familiarizar com os próprios.)
3. É verdade que, para ser amado, eu preciso suprir as necessidades dos outros? É verdade que se eu for visto como realmente sou, serei rejeitado? Isso é verdade *mesmo*?
4. Como minha vida seria diferente se eu abrisse mão dessa crença? Eu conseguiria reconhecer e suprir as próprias necessidades? Não precisaria mais me exaurir agradando os outros? Conseguiria amar e cuidar de mim tanto quanto eu amo e cuido dos outros?

Sugira.

- Preste atenção a suas necessidades.
- Pense antes de fazer!
- Receba dos outros.
- Quando alguém lhe pedir que faça algo, pratique responder: "Deixe-me pensar antes de dar uma resposta" ou "Não".
- Resista à tentação de projetar a imagem de ser um ajudante alegre, de quem todos gostam. Você está vivendo nesse modo agora? Se estiver, como pode fazer uma escolha diferente?
- Lembre-se: "O amor é uma tarefa interior".

Para começar a cultivar a humildade, que é a virtude oposta ao orgulho, reconheça e expresse diretamente uma necessidade a alguém.

TIPO TRÊS

Ouça o que pessoas tipo Três têm a dizer

Do que gosto em ser Três:

Eu amo a sensação de estar ligado no 220, sempre cheio de energia! (Jon S.)

Do que não gosto em ser Três:

A busca de aprovação. Participei do clube de escoteiros ao longo de toda a infância, ganhei todos os prêmios e cheguei até as posições mais altas. Eu não gostava tanto assim dos escoteiros, e raramente ou nunca falava sobre meu envolvimento com o clube e minhas conquistas ali com nenhum outro grupo de amigos. Os escoteiros tiveram uma forte influência sobre a infância e adolescência de minha mãe, e ela ficava sempre muito, muito feliz por eu permanecer envolvida. Com o tempo, reconheci que eu própria nunca me interessei pelos escoteiros, só queria a certeza do relacionamento que vinha de saber que estava envolvida com algo que agradava minha mãe. (Laura A.)

Não sei ao certo como descrever minha relação com os sentimentos. Quando me perguntam como estou me sentindo, rapidamente fico sem palavras. (Wade)

Um comportamento típico do Três:

Logo que comecei a trabalhar, eu ficava naquelas escrivaninhas lado a lado com outros colegas, sem paredes divisoras, ou seja, todos podiam se ouvir. Certo dia, após desligar o telefone, uma colega de trabalho me disse: "Você percebe que parece uma pessoa completamente diferente com cada um com quem conversa?". Fiquei chocado. Aquilo parecia uma falta de sinceridade da minha parte. Ela só podia estar errada! Aquela sensação durou só uns doze segundos, pois logo outra pessoa do escritório comentou: "É verdade, você faz isso, Brian". Anos mais tarde, aprendi que essa habilidade de ser quem você precisa ser a fim de se comunicar melhor é chamada de "desenvolvimento de compatibilidade". Consiste em automaticamente se tornar quem você precisa ser para agradar o cliente. Jamais tive um emprego no qual essa habilidade não fosse extremamente procurada e elogiada. Parece bom, mas preciso me lembrar o tempo inteiro de quem eu sou para tantas pessoas diferentes, o que é bem difícil. Sou o cara simpático do interior quando converso com

Mike, ou o metido da elite? Quem consegue acompanhar tantas mudanças? (Brian L.)

O que eu gostaria que as pessoas entendessem sobre ser Três:

Algo que as pessoas não entendem em relação ao Três é que não só queremos ser os melhores, como também desejamos fazer com que isso pareça fácil. (Josh)

PERGUNTAS PARA AJUDÁ-LO A DESCOBRIR SE VOCÊ É TIPO TRÊS

1. Você fica inquieto e entediado, a menos que tenha uma meta clara para alcançar?
2. Para você, é importante ser considerado bem-sucedido por amigos e colegas?
3. Você tem a habilidade camaleônica de adaptar sua personalidade à situação em que se encontra e às expectativas das pessoas em relação a você?
4. Você tem mais medo do fracasso do que deixa transparecer?
5. Você consegue desligar suas emoções, como se fossem uma torneira, para poder cuidar do trabalho que precisa ser feito?
6. Você anseia pelos holofotes e pela aprovação dos outros?
7. Você tem a habilidade de se promover e causar uma ótima primeira impressão?

IDEIAS DE POIS PARA O TRÊS

Pare. Para o Três, ter de parar para fazer qualquer coisa que desvie a atenção do trabalho ou de qualquer outra atividade voltada para resultados pode parecer uma interrupção indesejada. Resista à tentação de crer que há menos benefícios em trabalhar em seu mundo interior do que no exterior. Caso necessário, *defina uma meta* de prática fiel do POIS por trinta dias e veja como as coisas prosseguirão a partir dali.

Observe. Olhe ao seu redor. Você está, neste momento, atropelando as pessoas para alcançar uma meta? A fim de tentar ser mais eficiente, está pegando atalhos? Está se comparando a outras pessoas agora?

> O Três tem um talento sobrenatural para multitarefas. Consegue ao mesmo tempo dirigir, fechar um contrato milionário pelo telefone, comer um sanduíche, escutar um audiolivro e conversar com o cônjuge sobre o problema que um dos filhos teve na escola.

Ao voltar sua atenção para dentro, está sentindo pressão de se reinventar ou conseguir reconhecimento e aplausos?

Está deixando de lado seus sentimentos para evitar a redução de ritmo do trabalho?

Mesmo que você não tenha certeza da resposta, é uma ótima prática para o Três simplesmente se perguntar: "O que estou sentindo agora mesmo?".

Investigue. À medida que você aprende cada vez mais sobre sua personalidade e sua maneira única de incorporá-la, eu o incentivo a elaborar as próprias perguntas, mais adequadas a suas necessidades específicas.

1. Em que estou acreditando agora mesmo? Que meu valor é proporcional a minhas realizações e meus sucessos? Que preciso ser o melhor em tudo? Que devo projetar uma imagem correspondente aos valores e à preferência de meu público?
2. Como essa crença faz com que eu me sinta? Solitário? Empolgado? Como uma fraude? Como uma estrela do *rock*?

3. É verdade que, para ser amado, eu preciso ser uma estrela? Posição realmente é tudo? É razoável acreditar que não há ninguém por trás de minha máscara? Isso é verdade *mesmo*?
4. Como minha vida seria diferente se eu acreditasse que posso ser amado independentemente de qualquer coisa que eu faça? Que não há problema em ter os próprios sentimentos e a identidade separados do que eu acho que os outros esperam de mim?

Sugira.

- Se você estiver projetando alguma de suas imagens de sucesso neste momento para ganhar reconhecimento, relaxe.
- Se estiver atualmente maquiando uma situação negativa para que pareça positiva, a fim de evitar a aparência de fracasso, pare e diga a verdade.
- Tenha uma conversa de coração a coração com alguém importante em sua vida, com quem você sabe que precisa colocar as coisas a limpo, mesmo que isso envolva sentimentos difíceis.
- Tente se disciplinar a não trabalhar depois das 18 horas.
- Evite reduzir a vida a tarefas.
- Permita que seus sentimentos venham à tona e afetem você.
- Valorize mais os relacionamentos que as metas.
- Diminua o ritmo.

Cultive a integridade, a virtude oposta ao pecado capital do engano.

TIPO QUATRO

Ouça o que pessoas tipo Quatro têm a dizer

Do que gosto em ser Quatro:

Ser um refúgio seguro onde as pessoas podem compartilhar seu íntimo. (Judy B.)

Sou capaz de usar minha sensibilidade emocional e capacidade de observação para me conectar de maneira muito significativa com meus familiares, amigos, colegas de trabalho e jovens estudantes. Para mim, não há nada mais belo que o cenário da intimidade, do crescimento e do desenvolvimento! (Michelle J.)

Do que não gosto em ser Quatro:

Eu costumava me perguntar por que o fundamentalismo me atraía quando criança, se sou tipo Quatro. Ele explicava o que estava faltando, o que estava quebrado, por que os outros e o mundo estão fragmentados. Mas a resposta não satisfaz para sempre. (Don C.)

O Quatro precisa superar a inveja. Qualquer um pode me contar qualquer coisa e eu vou pensar que, se tivesse isto, fizesse aquilo ou tivesse o talento para realizar determinada coisa, não teria esse pedaço faltando dentro de mim. Caso você me falasse que acabou de voltar da Eslovênia, eu acharia que uma viagem à Eslovênia é exatamente do que eu preciso para minha realização pessoal. (Lennijo)

Um comportamento típico do Quatro:

Quando eu era criança, minha mãe odiava fazer compras comigo. Quando saíamos para comprar roupas antes da volta às aulas em agosto, por exemplo, ela achava que seria uma saída simples, na qual encontraríamos algumas camisetas, algumas calças e tênis novos que me servissem e fossem apropriados para o ambiente escolar. Esse ponto de vista muito utilitário e prático não sintonizava com minha sensibilidade estética, pois eu já sabia *exatamente* o que queria. Eu já tinha vislumbrado, com os olhos da mente, como exatamente aquelas camisetas, calças, tênis e alguns acessórios deveriam ser e não me contentava com nada menos do que havia imaginado. Em todos os outros aspectos, fui uma criança e depois adolescente muito doce e cordata. No fim do dia de compras, minha mãe implorava para que eu comprasse algo, *qualquer coisa*, só para conseguirmos terminar, mas eu raramente cedia. Parecia muito importante para mim me expressar por meio das roupas, e eu jamais usaria algo de aspecto comum. (Lucy S.)

O que eu gostaria que as pessoas entendessem sobre ser Quatro:

Eu sinto as coisas com uma profundidade realmente muito grande. Por isso, quando os outros me veem como uma pessoa emotiva e, às vezes, sensível, acham que eu devo ser tímida e delicada. Mas acho que a profundidade de minhas emoções me torna, na verdade, forte e resiliente, mesmo que o tipo de resiliência que eu tenha seja diferente do de um Oito ou outro número. Não é fácil passar pela vida sentindo tanto, e isso me forçou a aprender a cuidar de mim e construir força. Eu adoraria que as pessoas soubessem que ser sensível e delicada não exclui ser forte, competente e capaz. (Lucy S.)

PERGUNTAS PARA AJUDÁ-LO A DESCOBRIR SE VOCÊ É TIPO QUATRO

1. Você sente o ímpeto de ser especial e único, perceptivelmente diferente das outras pessoas?
2. Suas emoções às vezes o engolem? Suas variações de humor se caracterizam pelos altos e baixos mais extremos?
3. Você passa boa parte do tempo pensando no passado?
4. Você gosta de filmes, músicas e livros tristes? As histórias trágicas tocam em algo profundo dentro de você?
5. Você tem uma dinâmica intensa de aproximação e distanciamento em seus relacionamentos, na qual alterna entre se mostrar apaixonado e retraído?
6. Você inveja o sucesso, os relacionamentos ou a felicidade das outras pessoas?

IDEIAS DE POIS PARA O QUATRO

Pare. Por ser um tipo naturalmente introspectivo que se conecta facilmente com os sentimentos, você não terá dificuldade em parar para refletir. O que pode acontecer é o contrário: ficar tão preso nas próprias emoções a ponto de ter dificuldade em avançar para os passos seguintes. Não ache que não sei do que estou falando. Eu sou Quatro.

> O Quatro é o mais complexo de todos os tipos do Eneagrama. Aquilo que você vê nunca é o que está por trás.

Observe. Dê um passo atrás e observe seus sentimentos. Quais são eles? Você os está sentindo ou eles é que estão tomando conta de você?

Ao olhar em volta, consegue detectar se há drama envolvido? Enquanto observa, pergunte-se se você está contribuindo para a situação. Está usando sua rica imaginação para adornar ou intensificar seus sentimentos?

Está perdido em sonhos sobre um futuro ideal ou ruminando um passado trágico neste momento? Está ansiando por algo indisponível? Foi controlado pela melancolia?

Investigue.

1. Em que estou acreditando neste momento? Creio que me falta algo que todos os outros têm e, por isso, sou um excluído? Sinto que preciso ser especial a fim de compensar ou acobertar minha carência interna?
2. Como essa crença faz com que eu me sinta? (Por ser alguém que se identifica demais com os próprios sentimentos, tome cuidado para não gastar tempo excessivo neste passo, caso contrário jamais prosseguirá para o próximo.)
3. Essa crença é verdadeira? Eu sou meus sentimentos? Falta *mesmo* algo em mim? Se falta, o que é?
4. Como minha vida seria diferente se eu abrisse mão dessa crença? Eu aceitaria bem se a resposta fosse me tornar uma pessoa mais normal e comum? Eu me sentiria aliviado por não precisar me esforçar tanto para ser único ou especial o tempo inteiro?

Sugira.

- Se você estiver mergulhado em sentimentos até o pescoço, lembre-se repetidas vezes: "Nenhuma emoção dura para sempre!".
- Ser único não o torna útil. Concentre-se mais na segunda opção, não na primeira.

- Parta para a ação. Que sonho loucamente criativo tem povoado suas fantasias, mas você tem procrastinado, quando poderia começar agora mesmo?
- Se você rumina o passado, repetindo a batida expressão "Se tão somente... se tão somente... se tão somente", interrompa o transe agradecendo a Deus pelo aqui e agora, bem como pelo futuro que ele tem reservado para você. Então dedique sua atenção a fazer algo produtivo.
- Coloque um lembrete em algum lugar visível com as palavras "Nada está faltando" ou "Tudo de que preciso para ser feliz está aqui". De início, você pode não acreditar, mas, com o tempo, romperá sua resistência.
- Aprecie a vida como ela é.
- Foque-se no que é externo.
- Aceite que intensidade emocional não é pré-requisito para realização emocional.

Cultive a virtude contrária da gratidão, para ajudá-lo a superar o pecado capital da inveja.

PERGUNTAS PARA REFLEXÃO E DISCUSSÃO

Se você estiver participando de um grupo de discussão sobre o Eneagrama, é importante separar tempo para ouvir de verdade o que os participantes dos outros números têm a dizer acerca de si mesmos. Tente enxergar o mundo pelos olhos deles, se possível. Permita que falem sem ser interrompidos. Caso esteja fazendo este guia de estudo por conta própria, separe tempo para refletir e responder a cada pergunta por escrito. Reflita sobre como é ser cada número. O Eneagrama é uma grande ferramenta para desenvolver empatia e compaixão.

1. Nesta sessão, estamos analisando a tríade do coração: o Auxiliador, o Realizador e o Romântico. Se você é um desses três números, a ideia de ser guiado pelo coração ou pelos sentimentos faz sentido para você? Por que ou por que não?

2. Os pecados capitais associados a esses números (orgulho para o Dois, engano para o Três e inveja para o Quatro) parecem verdadeiros para você? Quais são as práticas espirituais que podem contrabalançar cada um desses pecados capitais?

3. Para quem é Dois, Três e Quatro: do que você mais gosta em seu número?

4. Para quem é Dois, Três e Quatro: do que você menos gosta em seu número?

5. Para quem é Dois, Três e Quatro: o que você gostaria que as pessoas entendessem sobre seu número?

6. Para pessoas dos outros seis números: o que você mais aprecia ou inveja nos tipos Dois, Três e Quatro?

7. Para pessoas dos outros seis números: o que o deixa louco nos tipos Dois, Três e Quatro?

Leitura para a próxima semana: capítulos 9, 10 e 11 de *Uma jornada de autodescoberta.*

SEMANA 4

A TRÍADE DA CABEÇA (5, 6 E 7)

OBJETIVOS DESTA SESSÃO

- Entender o tipo 5 (o Investigador)
- Entender o tipo 6 (o Leal)
- Entender o tipo 7 (o Entusiasta)

Leitura de *Uma jornada de autodescoberta*: capítulos 9, 10 e 11.

OS PECADOS E AS VIRTUDES DA TRÍADE VISCERAL

Tipo	5	6	7
Pecado capital a evitar	*Avareza*. Com medo de ficar sem recursos internos para suprir as demandas da vida e preservar a própria independência e energia, o Cinco acumula conhecimento, privacidade, tempo, espaço e afeto.	*Medo*. Por precisar se sentir seguro, o Seis repassa na mente os piores cenários possíveis e se vincula a figuras fortes de autoridade e sistemas de crença consolidados.	*Gula*. A fim de evitar os sentimentos de dor e privação crônica, o Sete planeja de forma gulosa e compulsiva devorar experiências empolgantes, ideias fascinantes e o melhor que a vida tem a oferecer.

Virtude oposta a cultivar	*Generosidade*. O Cinco se torna generoso quando abre mão da mentalidade de escassez e adere à realidade da abundância.	*Fé*. O Seis pode desenvolver a fé que torna desnecessário o planejamento do pior cenário possível e aprender a confiar que sua bússola interna o guiará na tomada de boas decisões.	*Sobriedade*. Para o Sete, sobriedade significa exercer autocomedimento, aceitar e integrar tanto as alegrias quanto as tristezas da vida e cumprir os compromissos de longo prazo feitos com projetos e pessoas.

TIPO CINCO

Ouça o que pessoas tipo Cinco têm a dizer

Do que gosto em ser Cinco:

Quando levo meu cachorro para passear pela estrada próxima à minha casa, absorvo a beleza natural do caminho. Paro para contemplar em cada direção várias vezes. Estudo as imagens: a grama viçosa, as flores brilhantes, as árvores cheias de folhas novas. Uau! É isso que o Cinco sabe fazer muito bem: observar, ponderar, sentir sem nada mais interromper. Meus pensamentos podem me conduzir a uma alegria extrema. Não necessito de ninguém mais para me sentir tão bem assim. (B. N.)

Do que não gosto em ser Cinco:

O pior em meu número é minha perturbação incômoda diante de acontecimentos imprevisíveis ou interrupções inesperadas. Com frequência, reajo com rompantes de raiva mesmo à intrusão mais inocente. Quando quero fazer algo, sou capaz de ignorar meu corpo físico e sentir que possuo energia ilimitada. No entanto, se alguém me pedir que faça algo, sou sovina com o tempo, contando cada segundo daquela interrupção. (Dale R.)

Um comportamento típico de Cinco:

À meia-noite, alguém me ligou com a notícia: "Seu pai não está respirando. Venha, por favor! Os socorristas estão com ele neste momento". Desliguei o telefonema, vesti-me com calma, escolhi com cuidado o que era necessário levar comigo para a longa noite à frente e dirigi quietamente até a instituição de auxílio para pessoas com problemas de memória onde ele morava. Havia uma viatura policial, não uma ambulância, estacionada na estrada. Pairava um silêncio sepulcral. Descobri que meu pai havia morrido e o policial me fez uma série de perguntas. Respondi a cada uma delas em tom profissional. Em minha mente, pensava: "Caramba! Meu pai acabou de morrer e estou aqui tranquilo respondendo a essas perguntas? Onde estão minhas emoções?" (B. N.)

O que eu gostaria que as pessoas entendessem sobre ser Cinco:

O mais difícil em ser Cinco é ser incompreendido em relacionamentos por causa do meu jeito desligado, julgado como indiferente. (Ken B.)

PERGUNTAS PARA AJUDÁ-LO A DESCOBRIR SE VOCÊ É TIPO CINCO

1. Você costuma ser bem reservado, compartilhando suas emoções e seus pensamentos mais profundos com pouquíssimas pessoas?

2. Você precisa de tempo para processar novas experiências e emoções?
3. Quando está em grupo, prefere observar a participar?
4. Se tiver a escolha de ficar em casa e assistir a um filme ou ir a uma festa com pessoas que você não conhece bem, sente-se inclinado a ficar em casa?
5. Você se sente esgotado depois de passar tempo demais na companhia de outras pessoas?
6. Você prefere tomar decisões com a mente, não com o coração?
7. Está se perguntando onde é que estava com a cabeça quando concordou em vir a esta discussão em grupo sobre *sentimentos*? (Ou está completando este guia de estudos em casa sozinho, porque só de pensar em uma discussão em grupo dessa natureza já dói até a ponta do seu cabelo?)

IDEIAS DE POIS PARA O CINCO

Pare. O POIS pode ser uma prática mais fácil para você do que para qualquer outro número. Você é naturalmente contemplativo, então nem me preocupo se você conseguirá parar para fazer o processo.

Observe. Seu superpoder é observar a vida de maneira analítica, imparcial, desprovida de julgamentos. Notar é seu ponto forte. O segredo aqui é evitar a observação somente dos outros, enquanto exclui a auto-observação.

Seguem alguns elementos para você avaliar enquanto observa: Você está presente em seu corpo ou um passo afastado dele neste momento? Você percebe que se exaspera com as pessoas por não permanecerem na tarefa ou no tema em questão?

Você está agindo um pouco como o Dr. House (um Cinco muito doentio!) por se sentir superior aos outros ou justificado em menosprezá-los por causa da quantidade impressionante de informações que acumulou e a profundidade de conhecimento que possui em sua área de especialidade?

> Como a vida do Cinco seria diferente se ele aderisse a uma mentalidade de abundância?

Você observa que se sente incapaz, incompetente ou exageradamente preocupado por não ter resposta para algo e parecer tolo?

Você está escondido em sua caverna reunindo informações para evitar fazer contato com os outros?

Investigue. À medida que você aprende cada vez mais sobre sua personalidade e sua maneira única de incorporá-la, eu o incentivo a elaborar as próprias perguntas, mais adequadas a suas necessidades específicas.

1. Em que estou acreditando agora mesmo? Que não tenho os recursos necessários para tocar a vida como as outras pessoas? Que sou socialmente desajustado? Que não tenho energia para esta reunião ou este encontro e preciso ir embora? Que sou inferior (ou superior) porque enxergo as coisas de maneira diferente dos outros? Que não há um lugar à mesa para mim?
2. Como essa crença faz com que eu me sinta? (Por ser o número mais emocionalmente desconectado do Eneagrama, você pode demonstrar a tendência de pensar seus sentimentos ou adiá-los até ter tido tempo para analisá-los, e isso pode demorar. Por isso, responda a esta pergunta com a primeira coisa que lhe vier à mente. Dê seu melhor, e então abra-se para de fato sentir essa emoção. Vai gastar tempo!)

3. É verdade que não tenho os recursos necessários para atender as demandas da vida? É verdade *mesmo*?
4. Como seria minha vida se eu abrisse mão dessa crença? Estaria mais emocionalmente disponível para me conectar com as pessoas que são importantes para mim? Teria menos medo de parecer inapto ou bobo? Permitiria que os sentimentos viessem à tona no momento?

Sugira.

- Se você tem sido desnecessariamente privativo ou mesquinho com o amor e o afeto, abra-se com alguém que você sabe que deseja amá-lo e apoiá-lo.
- Livre-se da mágoa que sente por alguém que discordou de uma de suas ideias.
- Não observe a vida. Participe dela!
- Expanda seus sentimentos, conectando-se a eles.
- Pratique permanecer presente ao estar na companhia de pessoas.

Para contrabalançar o pecado mortal da avareza, cultive a virtude da generosidade.

TIPO SEIS

Ouça o que pessoas tipo Seis têm a dizer

Do que gosto em ser Seis:

Se você me der um bife, eu lhe devolvo a vaca inteira. Somos muito leais e generosos. Apreciamos e respeitamos nossas amizades. (Lynn T.)

Do que não gosto em ser Seis:

Uma das piores coisas em meu número é a tendência de me sentir sobrecarregada, estressada e então ter vontade de me fechar e não agir, nem pensar produtivamente. Quando algo é avassalador ou estressante, quero adiar até o último minuto possível. Sou capaz de ficar fazendo rodeios e duvidar de meus sentimentos e desejos. Uma das maiores coisas que precisei aprender na vida foi como enfrentar meus medos e minha indecisão, para não permitir que me paralisem. (Joy P.)

Um comportamento típico de Seis:

Acho que eu já sabia, quando criança, que nem todos ficavam acordados à noite pensando no teste para a banda no dia seguinte. Eu percebia que minha ansiedade era diferente e que eu era mais alerta que as outras pessoas. Eu percebia quando alguém era deixado de fora e precisava de um amigo. Eu notava quando alguém queria que meu pai parasse de falar, mesmo quando ele não o fazia. Meu radar captava coisas que os outros jamais observavam. Essa ansiedade, porém, era como um segredinho sombrio. Não acho que alguém fizesse ideia do quanto eu ficava ansiosa em relação a determinadas coisas, nem mesmo minha família. Era algo que escondia demais e me sentia extremamente só em minha dor. (Jane)

O que eu gostaria que as pessoas entendessem sobre ser Seis:

Quando eu lhe fizer uma pergunta, só quero uma resposta honesta e verdadeira à minha indagação, não ao questionamento que você gostaria que eu tivesse feito ou uma informação relativa a algo que não pedi. Não quero ouvir uma história. Não quero ser surpreendida nem menosprezada. Eu não quero irritar, constranger, intimidar ou ameaçar você. Só desejo uma resposta verdadeira e factual. Se você não puder ou não souber responder, tudo bem, é só falar. Mas não minta, fique bravo ou me evite, pois continuarei minha busca até encontrar a resposta. (Dana E.)

PERGUNTAS PARA AJUDÁ-LO A DESCOBRIR SE VOCÊ É TIPO SEIS

1. Depois de criar vínculo com alguém, você provavelmente fará o que for preciso para preservar esse vínculo nos anos futuros?
2. Você costuma se sentir ansioso ou preocupado com o futuro?
3. Leva um tempo até você se sentir à vontade com pessoas ou circunstâncias novas? Você diria que é avesso a mudanças?
4. Você se sente melhor quando tem um plano pronto para o pior que poderia acontecer?
5. Você toma decisões em conjunto, consultando diferentes pessoas de antemão para saber a opinião delas?
6. Quando as coisas estão indo bem, você é como o Galinho Chicken Little, aquele personagem que imagina que, a qualquer instante, o céu irá desabar?
7. Você tem problemas com figuras de autoridade, de um lado, contestando-as, ou, de outro, depositando fé excessiva nelas?

IDEIAS DE POIS PARA O SEIS

Pare. Uma vez que sua mente é absurdamente ativa e você está sempre se planejando para desastres iminentes, é difícil permanecer no momento presente. Mas conheço várias pessoas tipo Seis que fazem o POIS com êxito. Vai ajudá-lo se você o fizer.

Observe. Quando você olha ao redor, o que está acontecendo? Você está sobrecarregado porque se comprometeu com coisas demais? Note se há algo que o faz se sentir ansioso agora mesmo. Você está mais ou menos preocupado, sentindo-se mais ou menos pessimista do que de costume?

As pessoas tipo Seis são as mais fiéis e confiáveis do Eneagrama.

Observe seu nível de autoconfiança. Está pedindo muitos conselhos e opiniões para ajudá-lo a tomar uma decisão? Confira para ver se você está tendo um ataque de "dúvidas". Caso esteja diante de uma escolha, tem hesitado o tempo inteiro entre duas opções?

Dê um passo para trás e observe sua atividade mental. O que as vozes conflitantes em seu cérebro estão dizendo no momento?

Investigue. À medida que você aprende cada vez mais sobre sua personalidade e sua maneira única de incorporá-la, eu o incentivo a elaborar as próprias perguntas, mais adequadas a suas necessidades específicas.

1. Em que estou acreditando agora mesmo? Que preciso desenvolver um plano B porque algo negativo sem dúvida vai acontecer? Que o mundo está cheio de perigo e de pessoas com intenções ocultas? Que me falta uma bússola interna confiável para me guiar a fim de tomar boas decisões?

2. Como essa crença faz com que eu me sinta? Preocupado? Pessimista? Sem autoconfiança? Em dúvida se devo me sujeitar ou desafiar uma figura de autoridade?
3. É verdade? Meu mundo de fato é um lugar tão inseguro? Sempre há algo ruim à espreita no horizonte? Minha história pessoal prova que sou menos capaz de tomar boas decisões do que outras pessoas? É verdade *mesmo*?
4. Como seria minha vida se eu abrisse mão dessa crença? Eu teria mais fé e paz? Ficaria menos preocupado em tomar as decisões erradas? Pararia de duvidar da constância das pessoas que me amam?

Sugira.

- A fim de estimular a confiança e restaurar uma perspectiva positiva, faça uma lista de sucessos e resultados positivos do passado.
- Saia do futuro e viva o momento presente.
- Quando se decidir em relação a algo, resolva permanecer firme em sua escolha.
- Quando as preocupações e dúvidas vierem, repita a oração de Juliana de Norwich: "Vai ficar tudo bem, vai ficar tudo bem, e toda sorte de coisas há de ficar bem".

Tenha a certeza de que sua vida está segura nas mãos de um Deus amoroso e competente. Faça algo que reflita sua convicção de que Deus cuida de você. Isso o ajudará a cultivar a fé, a virtude oposta ao pecado capital do medo.

TIPO SETE

Ouça o que pessoas tipo Sete têm a dizer

Do que gosto em ser Sete:

As pessoas gostam de estar perto de mim e se sentem à vontade em minha presença. (Mary J.)

Ter a capacidade inata de encontrar o lado bom das coisas. (Lee Ann R.)

Do que não gosto em ser Sete:

É difícil, como mãe, ser consistente no horário de dormir das crianças e seguir a rotina. Eu fui cigana. Estou sempre pronta para sair a qualquer momento que você me chamar. Estar saudável para mim é sentir contentamento ao ficar em casa com meus filhos. (Myra)

Um comportamento típico de Sete:

Na adolescência, para tentar escapar da dor por causa da morte de minha irmã, apaixonar-me foi a droga que escolhi. Eu me apaixonava rapidamente e com toda intensidade, mergulhando fundo na emoção e no desafio. Certo relacionamento foi tão inebriante, desafiador e profundo por um período que eu me perdi nele e nunca havia um momento de tédio. Amá-lo me dava um barato. Mas quando comecei a me sentir sob controle, a necessidade de fuga se instalou e precisei cair fora. Eu não gostava de me sentir confinada, nem que ninguém me dissesse o que eu podia ou não fazer. Um término assustador e doloroso me levou a me enveredar ainda mais pelos mecanismos de fuga, manifestos na forma de bebidas, festas e sexo casual. (Mary M.)

O que eu gostaria que as pessoas entendessem sobre ser Sete:

Gostaria que as pessoas soubessem que, embora pareça que o Sete tem casca grossa, nosso coração pode ser bem sensível. Toda vez que compartilhamos nossos sentimentos, estamos arriscando muito. Por favor, seja delicado conosco. Precisamos de amigos e familiares que permaneçam ao nosso lado em meio aos lugares sombrios e, quando chegamos aos pontos em que ninguém pode nos acompanhar, a certeza de que há alguém nos esperando do outro lado pode nos dar coragem para prosseguir. (Lee Ann R.)

PERGUNTAS PARA AJUDÁ-LO A DESCOBRIR SE VOCÊ É TIPO SETE

1. Em seus primeiros relacionamentos, sua tendência era demonstrar fobia de compromisso? Você acha difícil se comprometer com relacionamentos?
2. Você anseia pela empolgação de planejar uma aventura e desfruta a expectativa tanto quanto — ou até mais que — o acontecimento em si?
3. Você é o tipo de pessoa de bem com a vida, que sempre enxerga o lado meio cheio do copo?
4. Você tenta evitar situações ou pessoas tristes, que estejam passando por sofrimento ou dor?
5. Você é entusiasmado pela diversidade, espontaneidade e mudança?
6. É comum você conseguir as coisas do seu jeito por causa do seu charme considerável?
7. Você concorda que, em geral, quanto mais, melhor?

IDEIAS DE POIS PARA O SETE

Pare. Seu dom espiritual *não* é ficar parado, então será necessário certo esforço. Aqui está o que você precisa saber de antemão: sua mente resistirá a ter de avaliar o que está acontecendo agora, porque sempre há algo à frente, no futuro. Este exercício pode até levá-lo a tropeçar em coisas desagradáveis, das quais você vai querer sair correndo. Depois de um tempo, você pode começar a prática previsível e rotineira e querer seguir adiante para outra coisa, por estar entediado. Lembre-se de que o processo pode ser tão curto ou demorado quanto você quiser.

> O Sete transborda alegria e amor pela vida.

Observe. O Sete sofre de "mentalidade de macaco". A mente corre e pula de um lugar para o outro, por isso não se esqueça de respirar fundo e se firmar em seu corpo. O que está acontecendo em seu corpo? Está todo elétrico, cheio de tiques, batendo os pés ou estalando os dedos?

O que está acontecendo no mundo a sua volta neste momento? O que você e os outros estão fazendo? Você havia perdido de vista algo que estava acontecendo?

Agora note o que se passa em sua mente. Você está planejando uma nova fuga? Está mais ocupado do que o normal? Em caso afirmativo, está ciente de alguma situação desagradável ou sentimento que esteja evitando?

Está com dificuldade de concentração? Há algo que você queira fazer ou um item que gostaria de possuir e está com problema para resistir à tentação de fazer ou comprar o que quer que seja?

Está se sentindo frustrado ou impaciente?

Investigue. À medida que você aprende cada vez mais sobre sua personalidade e sua maneira única de incorporá-la, eu o incentivo a elaborar as próprias perguntas, mais adequadas a suas necessidades específicas.

1. Em que estou acreditando agora mesmo? Que estou sozinho e não posso confiar que ninguém estará a meu lado para suprir minhas necessidades? Que a felicidade e satisfação só podem ser encontradas fora de mim e no futuro? Que posso evitar o sofrimento se devorar ideias interessantes o bastante, permanecer ocupado planejando e premeditando novas aventuras e sempre ter um plano de fuga? Que posso reestruturar qualquer experiência negativa em algo positivo, ou encontrar a luz no fim do túnel de qualquer experiência dolorosa, mesmo quando não houver?
2. Isso é verdade? Eu estou mesmo sozinho? Se eu me abrir para sentimentos como luto, tédio, tristeza, desilusão ou abandono, serei tragado por eles? É verdade *mesmo*?
3. Como essa crença faz com que eu me sinta? Fico desconfortável ao pensar nisso por muito tempo? Sinto vontade de contar uma história engraçada ou chamar atenção para o absurdo desse exercício? Fico com o anseio de ser uma pessoa mais profunda?
4. Como seria minha vida se eu abrisse mão dessa crença? Eu seria uma pessoa mais profunda? Finalmente conseguiria viver no presente e aproveitar o agora? Desfrutaria relacionamentos mais profundos e comprometidos com os outros?

Sugira.

- Memorize e repita as frases: "A vida só está disponível no momento presente" e "Sorria, respire e vá devagar" (ambas são de autoria de Thich Nhat Hanh).

- Adie a gratificação.
- Aceite que a vida é limitada, dolorosa e tediosa às vezes.
- Pare de negar os sentimentos que o deixam desconfortável.
- Aceite e seja grato pelo que existe neste momento.

Escolha a virtude oposta da sobriedade, em oposição ao pecado capital da gula, praticando o autocomedimento, permanecendo no momento presente e se abrindo para sentir a gama completa das emoções humanas.

PERGUNTAS PARA REFLEXÃO E DISCUSSÃO

Só para reiterar: se você estiver participando de um grupo de discussão sobre o Eneagrama, é importante separar tempo para ouvir de verdade o que os participantes dos outros números têm a dizer acerca de si mesmos. Tente enxergar o mundo pelos olhos deles, se possível. Permita que falem sem ser interrompidos. Caso esteja fazendo este guia de estudo por conta própria, separe tempo para refletir e responder a cada pergunta por escrito. Reflita sobre como é ser cada número. O Eneagrama é uma grande ferramenta para desenvolver empatia e compaixão.

1. Nesta sessão, estamos analisando a tríade da cabeça: o Investigador, o Leal e o Entusiasta. Se você é um desses três números, a ideia de ser guiado pelo coração ou pelos sentimentos faz sentido para você? Por que ou por que não?

2. Os pecados capitais associados a esses números (avareza para o Cinco, medo para o Seis e gula para o Sete) parecem verdadeiros para você? Quais são as práticas espirituais que podem contrabalançar cada um desses pecados capitais?

3. Para quem é Cinco, Seis e Sete: do que você mais gosta em seu número?

4. Para quem é Cinco, Seis e Sete: do que você menos gosta em seu número?

5. Para quem é Cinco, Seis e Sete: o que você gostaria que as pessoas entendessem sobre seu número?

6. Para pessoas dos outros seis números: o que você mais aprecia ou inveja nos tipos Cinco, Seis e Sete?

7. Para pessoas dos outros seis números: o que o deixa louco nos tipos Cinco, Seis e Sete?

Leitura para a próxima semana: capítulo 12 de *Uma jornada de autodescoberta* e os trechos sobre as asas relacionadas a seu número.

SEMANA 5

COMO TRABALHAR SEU TIPO

OBJETIVOS DESTA SESSÃO

- Analisar suas asas — os números adjacentes ao seu
- Revisar as declarações de cada tipo
- Debater suas experiências ao aprender sobre o Eneagrama

Leitura de *Uma jornada de autodescoberta*: capítulo 12 e os trechos sobre as asas relacionadas a seu número.

Nesta última sessão, faremos o fechamento do que aprendemos sobre nosso tipo, analisaremos nossas asas e avaliaremos nossa experiência com o POIS. Lembre-se: o objetivo de desenvolver autoconsciência é descobrir quando você está caindo em padrões autolimitantes antigos e aumentar a compaixão pelos outros (quando você começa a entender por que eles são motivados a se comportar da maneira que o fazem) e por si mesmo. Fazer julgamentos duros vez após vez em relação a sua pessoa jamais resulta em transformação espiritual. Esta só acontece em uma atmosfera de amor.

ANALISE SUAS ASAS

Enquanto você reflete sobre os próximos passos em relação ao Eneagrama e se esforça para administrar seu tipo enquanto avança, pode ser útil prestar mais atenção às asas de cada lado de seu número. Para lembrá-lo das características básicas de cada tipo, retome a familiaridade com esta lista do início do livro e pense em quais aspectos dos dois tipos adjacentes ao seu ajudam a descrever sua personalidade. Também ajuda revisar a seção sobre as asas no capítulo de seu tipo, a fim de perceber como as diferentes combinações se manifestam.

> Quando privilegiamos uma dessas nove características acima de todas as outras, nos tornamos grotescos e irreconhecíveis ou — vamos usar a palavra com P — pecadores!

Tipo Um: O Perfeccionista. Ético, dedicado e confiável, é motivado pelo desejo de viver da maneira correta, melhorar o mundo e evitar falhas e culpa.

Tipo Dois: O Auxiliador. Cordial, cuidadoso e generoso, é motivado pela necessidade de ser amado e sentir-se útil, bem como de evitar reconhecer as próprias necessidades.

Tipo Três: O Realizador. Voltado para o sucesso, preocupado com a imagem e projetado para a produtividade, é motivado pela necessidade de ser (ou parecer) bem-sucedido e evitar o fracasso.

Tipo Quatro: O Romântico. Criativo, sensível e melancólico, é motivado pela necessidade de ser compreendido, vivenciar seus sentimentos e evitar ser comum.

Tipo Cinco: O Investigador. Analítico, desapegado e adepto da privacidade, é motivado pela necessidade de adquirir conhecimento, conservar energia e evitar depender dos outros.

Tipo Seis: O Leal. Comprometido, prático e espirituoso, pensa sempre no pior cenário, é motivado pelo medo e pela necessidade de segurança.

Tipo Sete: O Entusiasta. Divertido, espontâneo e aventureiro, é motivado pela necessidade de ser feliz, planejar experiências estimulantes e evitar a dor.

Tipo Oito: O Contestador. Dominante, intenso e confrontador, é motivado pela necessidade de ser forte e evitar se sentir fraco ou vulnerável.

Tipo Nove: O Pacificador. Agradável, diplomático e adaptável, é motivado pela necessidade de manter a paz, misturar-se aos outros e evitar conflitos.

Embora seu número não mude, você tem acesso às características e aos recursos dos outros números, e os tipos mais disponíveis a você são suas asas. Se você for Um com asa Dois, terá o ímpeto de um reformador para aperfeiçoar o mundo, mas com o objetivo de ajudar os outros. Se for Cinco com asa Quatro, terá a vida interior rica do Investigador complementada pela criatividade (e a melancolia) do Romântico. Pense e debata se você se identifica mais com o tipo à esquerda ou à direita de seu número. (Pode ser com ambos, caso você tenha duas asas.)

> Deus nos contempla com o mesmo olhar terno que a mãe amorosa lança para seu bebezinho a dormir. Se conseguíssemos olhar para nós mesmos com essa mesma compaixão, quanta cura aconteceria dentro da alma!

APRECIE SEU TIPO

Cada número do Eneagrama revela e ensina algo sobre o caráter do Deus que nos criou. Embora não seja uma lista exaustiva, cada número revela uma faceta da natureza de Deus. Ao passo que cada um de nós seja tentado a se identificar com uma das dimensões do caráter divino mais do que com as outras, acabamos tendo problemas quando atribuímos a ela valor supremo. Sempre que isso acontece, algo antes belo acaba se tornando não só uma caricatura grotesca, como também um ídolo. Ao nos fixar e nos apegar a um aspecto da natureza de Deus acima de todos os outros, rejeitamos e trocamos a plenitude que ele deseja para nós pelos confinamentos estreitos de nossa personalidade.

Com o Eneagrama, parte da tarefa a sua frente é afirmar e trabalhar rumo à saúde e ao equilíbrio dentro de seu tipo. Parte da jornada rumo à maturidade espiritual em seu número virá com lembretes simples e regulares. Em seu grupo ou sozinho, faça uma afirmação de apoio a você em sua jornada rumo à plenitude.

Tipo	Caráter de Deus	Como distorcemos essa característica
1	A bondade de Deus	Tornando-nos perfeccionistas
2	O amor de Deus	Tornando-nos codependentes
3	A glória de Deus	Fazendo autopromoção
4	A beleza de Deus	Sendo absorvidos em nós mesmos
5	A onisciência de Deus	Tornando-nos excessivamente desligados
6	A constância de Deus	Duvidando demais
7	A alegria de Deus	Evitando a dor
8	O poder de Deus	Tornando-nos vingativos e controladores
9	A paz de Deus	Evitando conflitos

PERGUNTAS PARA REFLEXÃO E DEBATE

1. Como você se descreveria em relação a asas? Que características de sua asa você mais reconhece em si? Há alguma com a qual você não se identifica?

2. Uma das citações usadas nesta sessão foi: "Cada número do Eneagrama revela e ensina algo sobre o caráter do Deus que nos criou". De que maneira você pensa que seu número reflete algum aspecto de Deus?

3. De que maneiras você distorce ou enfatiza em excesso essa característica em exclusão de outras? Como essa miopia espiritual afeta seu entendimento sobre Deus?

4. Que número você *gostaria* de ser no Eneagrama?

5. Com qual número você menos se identifica no Eneagrama?

6. Você tem conseguido usar a técnica do POIS para redirecionar um velho padrão de comportamento? Em caso afirmativo, descreva essa experiência.

7. Como você colocará em prática o que aprendeu sobre o Eneagrama em seus relacionamentos com os outros?

Leituras adicionais

Appel, Wendy. *Inside Out Enneagram: The Game-Changing Guide for Leaders*. San Rafael, CA: Palma, 2001.

Baron, Renee; Wagele, Elizabeth. *The Enneagram Made Easy: Discover the Nine Types of People*. San Francisco: HarperOne, 1994. [No Brasil, *Eneagrama: Um guia prático*. Rio de Janeiro: Ediouro, 1996.]

Benner, David G. *The Gift of Being Yourself: The Sacred Call to Self-Discovery*. Downers Grove, IL: InterVarsity Press, 2004. [No Brasil, *O dom de ser você mesmo: O chamado sagrado para a autodescoberta*. Jaguarão: Conex, 2007.]

Brown, Brené. *The Gifts of Imperfection: Let Go of Who You Think You're Supposed to Be and Embrace Who You Are*. Center City, MN: Hazelden, 2010. [No Brasil, *A arte da imperfeição: Abandone a pessoa que você acha que deveria ser e seja você mesmo*. Rio de Janeiro: Sextante, 2020.]

Campbell, Jocelyn. "Stance Keyword Checklist." Nine Paths: Exploring the Highways and Byways of the Enneagram. 13 de julho de 2014. <https://www.ninepaths.com/stance-keyword-checklist>.

Chestnut, Beatrice M. *The Complete Enneagram: 27 Paths to Greater Self-Knowledge*. Berkeley, CA: She Writes, 2013. [No Brasil, *O eneagrama completo: O mapa definitivo para o autoconhecimento e a transformação pessoal*. São Paulo: Aleph, 2019.]

Daniels, David N.; Price, Virginia Ann. *The Essential Enneagram: The Definitive Personality Test and Self-Discovery Guide*. San

Francisco: Harper San Francisco, 2000. [No Brasil, *A essência do eneagrama: Manual de autodescoberta e teste definitivo de personalidade.* São Paulo: Pensamento, 2003.]

De Mello, Anthony. *The Way to Love: Meditations for Life.* New York: Image, 2013.

Horney, Karen. *Our Inner Conflicts: A Constructive Theory of Neurosis.* New York: Norton, 1992. [No Brasil, *Nossos conflitos interiores: Uma teoria construtiva das neuroses.* Rio de Janeiro: Civilização Brasileira, 1974.]

Howe-Murphy, Roxanne. *Deep Coaching: Using the Enneagram as a Catalyst for Profound Change.* El Granada, CA: Enneagram Press, 2007.

Hurley, Kathleen V.; Donson, Theodore Elliott. *What's My Type? Use the Enneagram System of Nine Personality Types to Discover Your Best Self.* San Francisco: Harper San Francisco, 1991. [No Brasil, *Qual é o meu tipo: Um estudo dos 9 tipos de personalidade humana.* São Paulo: Mercuryo, 1994.]

Kornfield, Jack. *A Path with Heart: A Guide Through the Perils and Promises of Spiritual Life.* New York: Bantam, 1993. [No Brasil, *Um caminho com o coração: Como vivenciar a prática da vida espiritual nos dias de hoje.* São Paulo: Cultrix, 1995.]

Levine, Janet. *The Enneagram Intelligences: Understanding Personality for Effective Teaching and Learning.* Westport, CT: Bergin & Garvey, 1999.

O'Malley, Mary. *The Gift of Our Compulsions: A Revolutionary Approach to Self-Acceptance and Healing.* Berkeley, CA: New World Library, 2010. [No Brasil, *Um impulso irresistível: Uma nova abordagem para o tratamento das compulsões.* São Paulo: Melhoramentos, 2007.]

Palmer, Helen. *The Enneagram: Understanding Yourself and the Others in Your Life.* San Francisco: Harper San Francisco, 1991. [No Brasil, *O eneagrama: Compreendendo-se a si mesmo.* São Paulo: Paulinas, 1993.]

__________. *The Enneagram in Love and Work: Understanding Your Intimate and Business Relationships*. San Francisco: Harper San Francisco, 1995. [No Brasil, *O eneagrama no amor e no trabalho: Entendendo os seus relacionamentos íntimos e profissionais.* São Paulo: Paulinas, 2002.]

__________. *The Pocket Enneagram: Understanding the 9 Types of People*. San Francisco: Harper San Francisco, 1995. [No Brasil, *O eneagrama de bolso: Compreendendo os nove tipos de pessoas.* São Paulo: Paulinas, 2004.]

Palmer, Helen; Brown, Paul B. *The Enneagram Advantage: Putting the 9 Personality Types to Work in the Office*. New York: Three Rivers Press, 1997.

Pearce, Herb. *The Complete Idiot's Guide to the Power of the Enneagram*. Royersford, PA: Alpha, 2007.

Reynolds, Susan. *The Everything Enneagram Book: Identify Your Type, Gain Insight into Your Personality, and Find Success in Life, Love, and Business.* Avon, MA: F+W Media, 2010.

Rhodes, Susan. *The Positive Enneagram: A New Approach to the Nine Personality Types*. St. Louis: Geranium Press, 2009.

Riso, Don Richard; Hudson, Russ. *The Wisdom of the Enneagram: The Complete Guide to Psychological and Spiritual Growth for the Nine Personality Types.* New York: Bantam, 1999. [No Brasil, *A sabedoria do eneagrama: Guia completo para o crescimento psicológico e espiritual dos 9 tipos de personalidade.* São Paulo: Cultrix, 1999.]

Rohr, Richard, and Andreas Ebert. *The Enneagram: A Christian Perspective*. New York: Crossroad, 2001. [No Brasil, *Eneagrama: As nove faces da alma.* Petrópolis: Vozes, 2013.]

Sheppard, Lynette. *The Everyday Enneagram: A Personality Map for Enhancing Your Work, Love, and Life—Every Day*. Petaluma, CA: Nine Points, 2000.

Zuercher, Suzanne. *Enneagram Spirituality: From Compulsion to Contemplation*. Notre Dame, IN: Ave Maria, 1992. [No Brasil, *A*